唐·褚遂良阴符经

中国书法名碑名帖原色放大本

胡紫桂　主编

CNS
湖南美术出版社
全国百佳图书出版单位

图书在版编目（CIP）数据

唐·褚遂良阴符经 / 胡紫桂主编. — 长沙：湖南美术出版社，2015.6

（中国书法名碑名帖原色放大本）

ISBN 978-7-5356-7282-7

Ⅰ. ①唐… Ⅱ. ①胡… Ⅲ. ①楷书-碑帖-中国-唐代 Ⅳ. ①J292.24

中国版本图书馆CIP数据核字(2015)第160487号

唐·褚遂良阴符经

（中国书法名碑名帖原色放大本）

出 版 人：黄 啸

主　　编：胡紫桂

副 主 编：成 琢 陈 麟

编　　委：冯亚君 邹方斌 倪丽华 齐 飞

责任编辑：成 琢 邹方斌

责任校对：徐 晶

装帧设计：造书房

版式设计：彭 莹

出版发行：湖南美术出版社

（长沙市东二环一段622号）

经　　销：全国新华书店

印　　刷：成都中嘉设计印务有限责任公司

（成都蛟龙工业港双流园区李渡路街道80号）

开　　本：889×1194　1/8

印　　张：4.5

版　　次：2015年6月第1版

印　　次：2019年10月第4次印刷

书　　号：ISBN 978-7-5356-7282-7

定　　价：35.00元

邮购联系：028-85939832　邮编：610041

网　　址：http://www.scwj.net

电子邮箱：contact@scwj.net

如有倒装、破损、少页等印装质量问题，请与印刷厂联系斢换。

联系电话：028-85939809

褚遂良（596—659），字登善，浙江钱塘（今杭州市）人。以善书著称，经魏徵举荐而得到唐太宗李世民的赏识。历任起居郎、谏议大夫、中书令。太宗临终时，褚遂良受诏辅政。高宗即位，任吏部尚书封河南郡公，人称褚河南。褚遂良一生耿直忠烈，因反对高宗立武则天为后而频遭贬谪，在外放中含恨而逝。他的书法近取初唐，远绍东晋，得王羲之书法三昧。唐太宗曾命他鉴别内府所藏王羲之墨迹真伪，竟无一误断。其书熔二王（羲之、献之）、欧（阳询）、虞（世南）为一炉，形成遒劲妍美、空灵飘逸、奇妙多姿的书法风格，与欧阳询、虞世南、薛稷并称为『初唐四大家』。褚遂良作为『广大教化主』对后世书法影响深远。

《阴符经》全称《黄帝阴符经》，名曰黄帝所撰，学界大多认为是后人的托伪之作，至于其作者、成书年代，众说纷纭。该经文从宇宙、天地、阴阳与人心、人性之对应生发关系出发，强调道家顺应自然五行，以随机应变为原则的养生、修炼理念。

此帖为大字楷书，墨迹纸本，共96行，计461字，传为褚遂良所书，现寄藏于美国堪萨斯市纳尔逊博物馆。该卷末有题『起居郎臣遂良奉敕书』。不过，褚遂良早年任起居郎是在贞观十年，而该帖与他早年的楷书风格不尽相同，有可能是后学的托伪之作。关于此作的真伪，尚无定论。即便如此，该帖也不失为书法精品，虽属楷书，却多见行草笔意，用笔跳荡，沉着痛快，时而笔势翻飞，时而体态安详；结字造形，敧中求正，敧侧俯仰，自有呼应；骨力洞达，气脉通畅，奔放不失妍美，飘逸不失端庄。

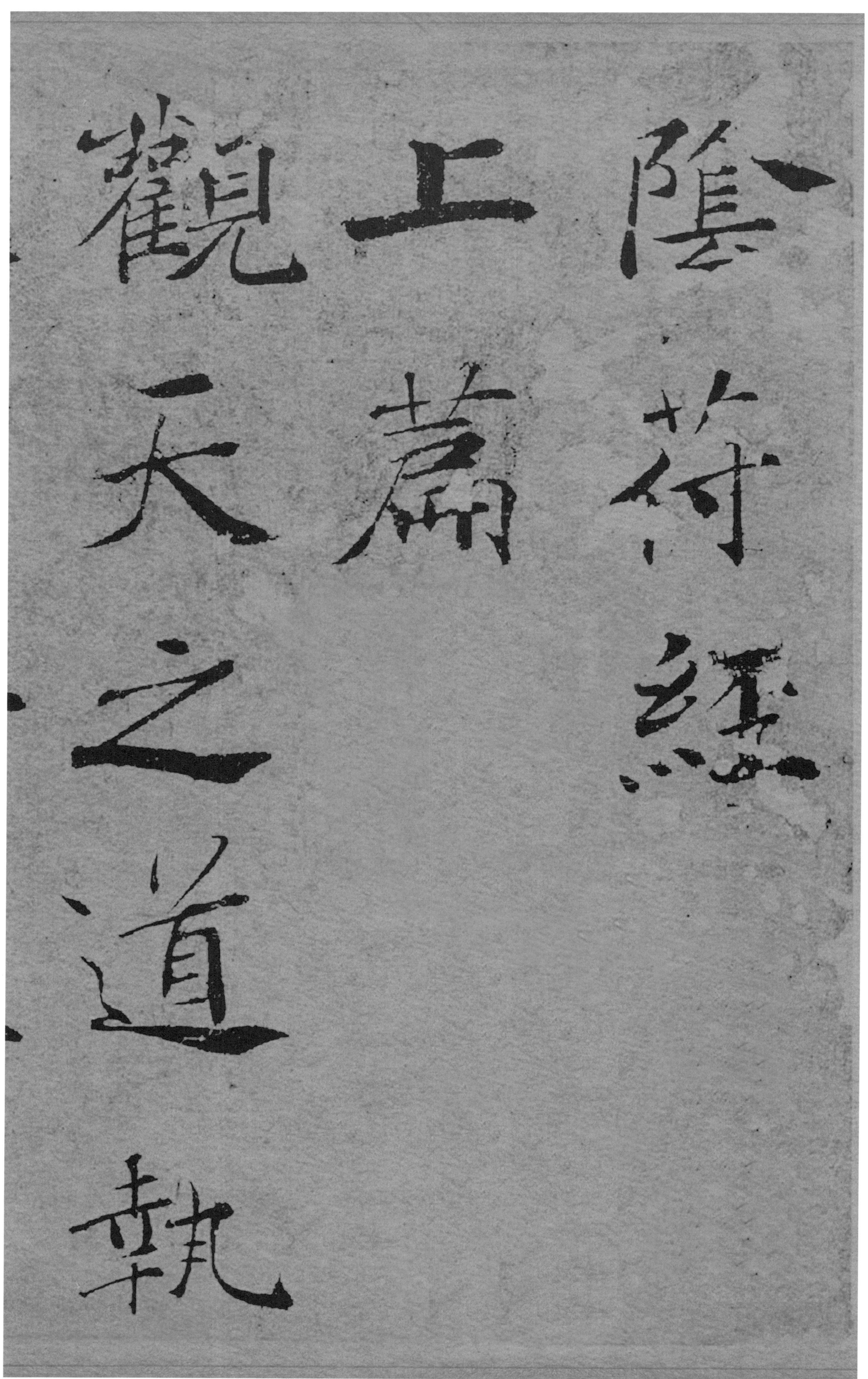

《阴符经》上篇：观天之道，执

天之行，尽矣。天有五贼，见之者昌。五贼

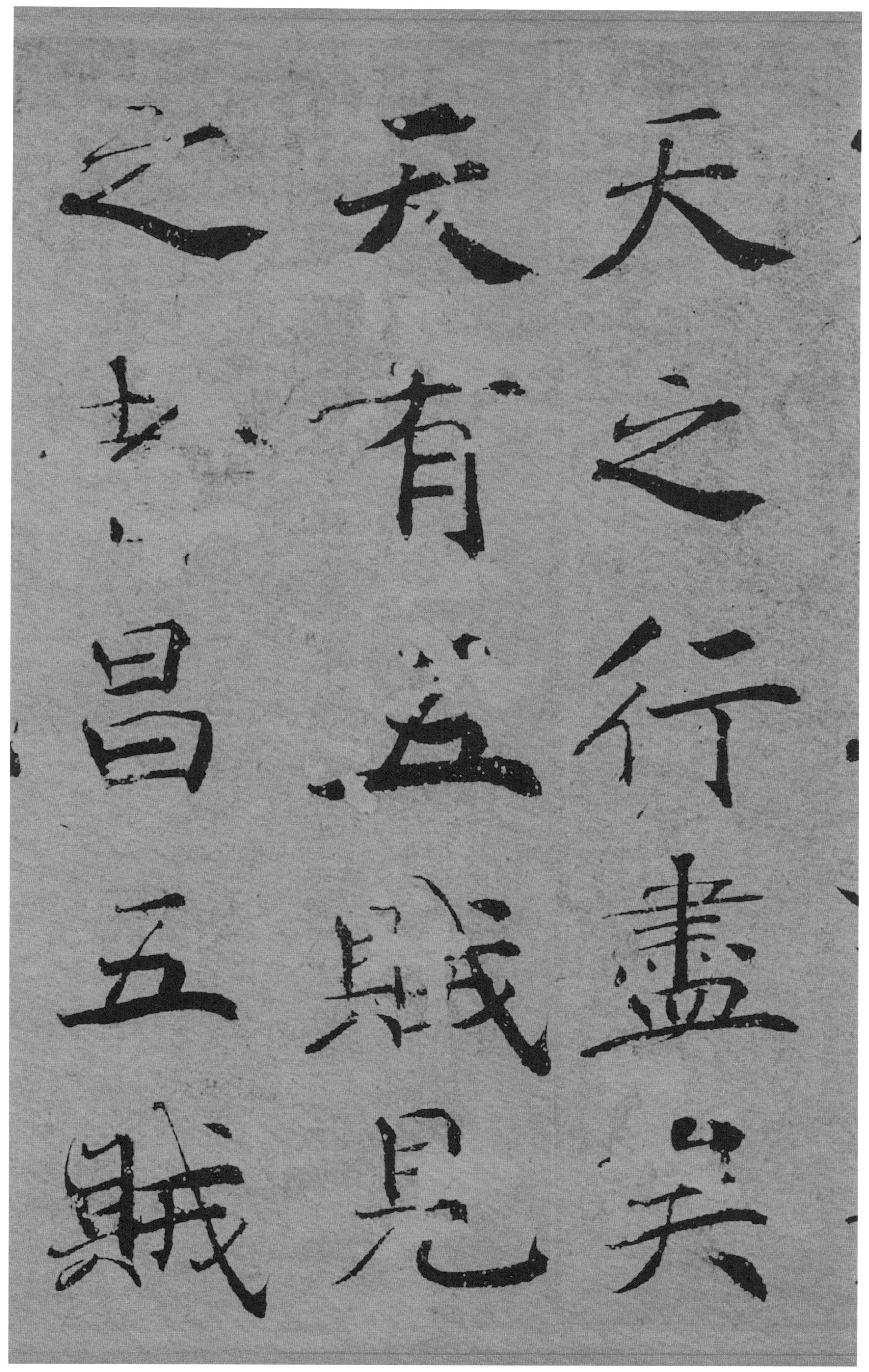

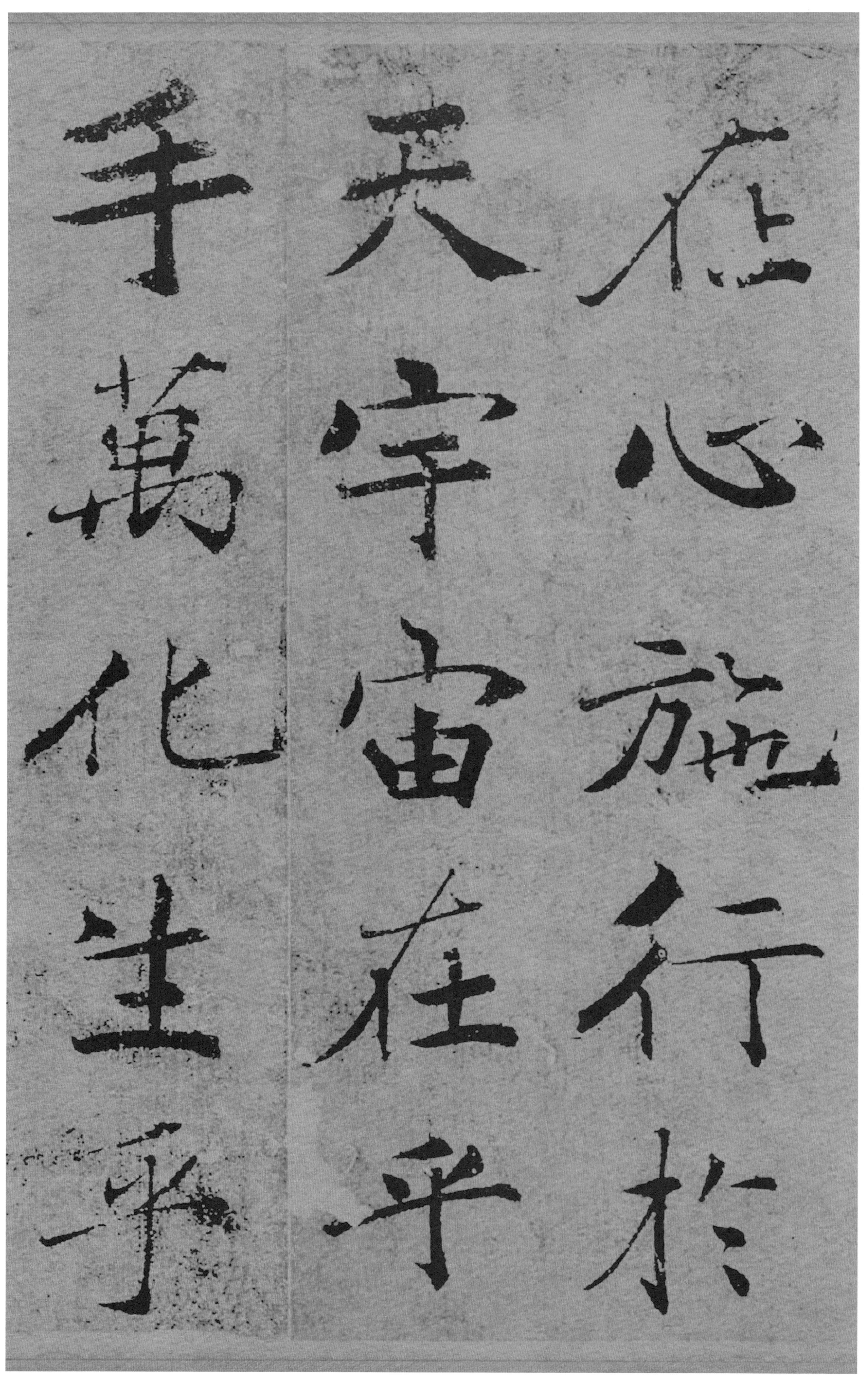

在心，施行于天。宇宙在乎手，万化生乎

身。天性，人也；人心，机也。立天之道，以定

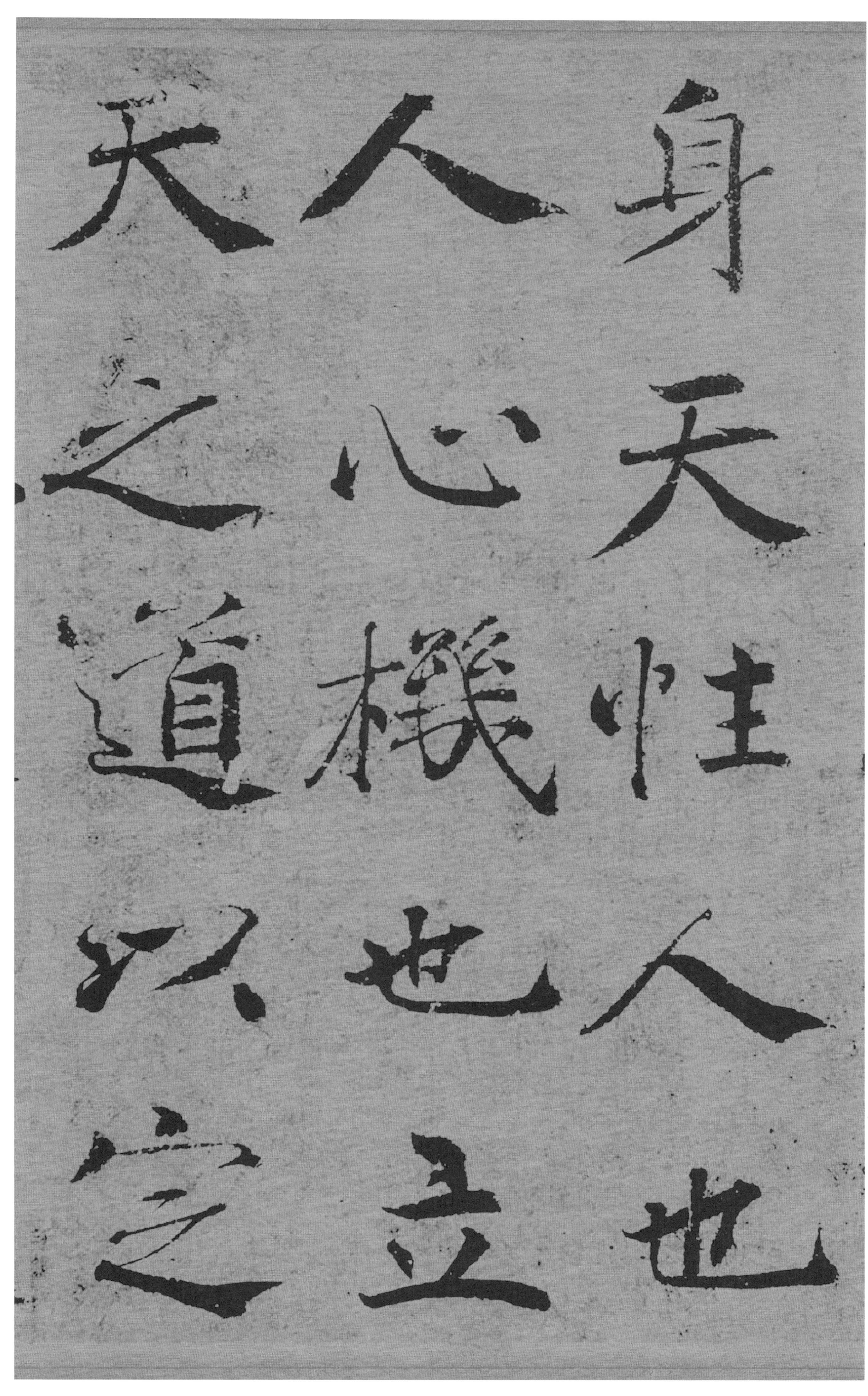

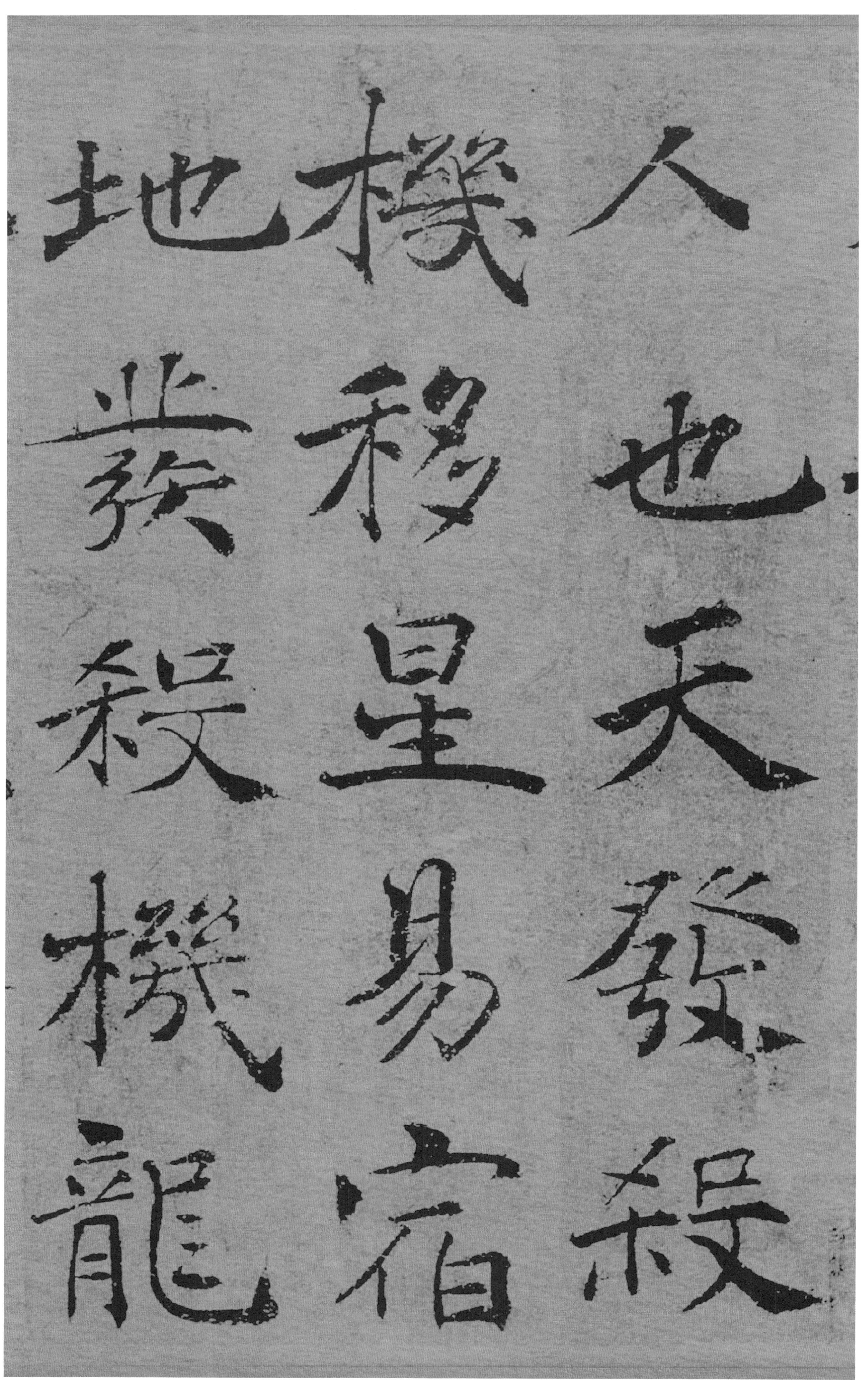

人也。天发杀机，移星易宿；地发杀机，龙

蛇起陆；人发杀机，天地反覆；天人合发，

蛇起陸人發
殺機天地反
覆天人合發

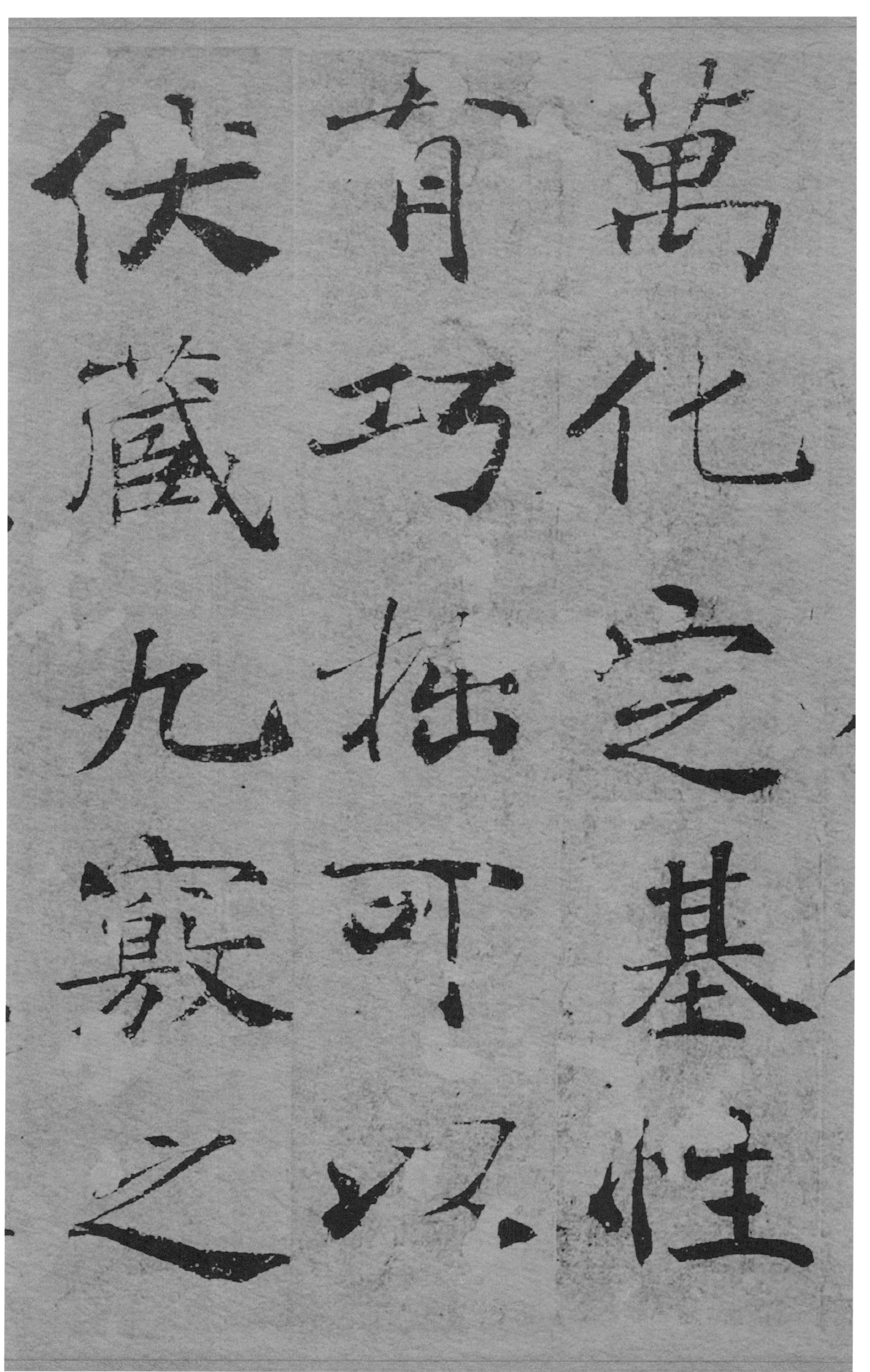

万化定基。性有巧拙，可以伏藏。九窍之

邪，在乎三要，可以动静。火生于木，祸发

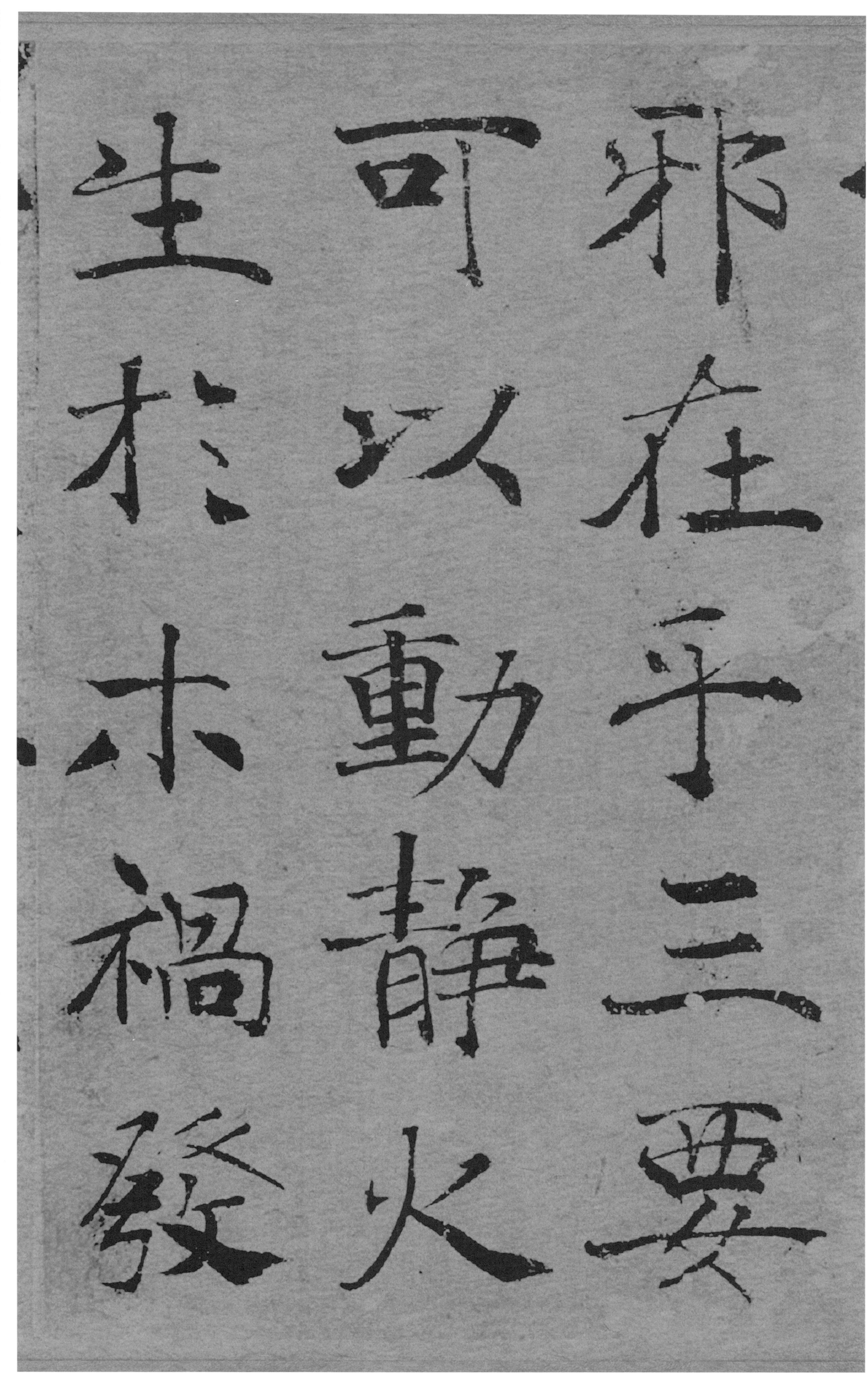

必克；奸生于国，时动必溃。知之修之，谓

之圣人。中篇：天生天杀，道

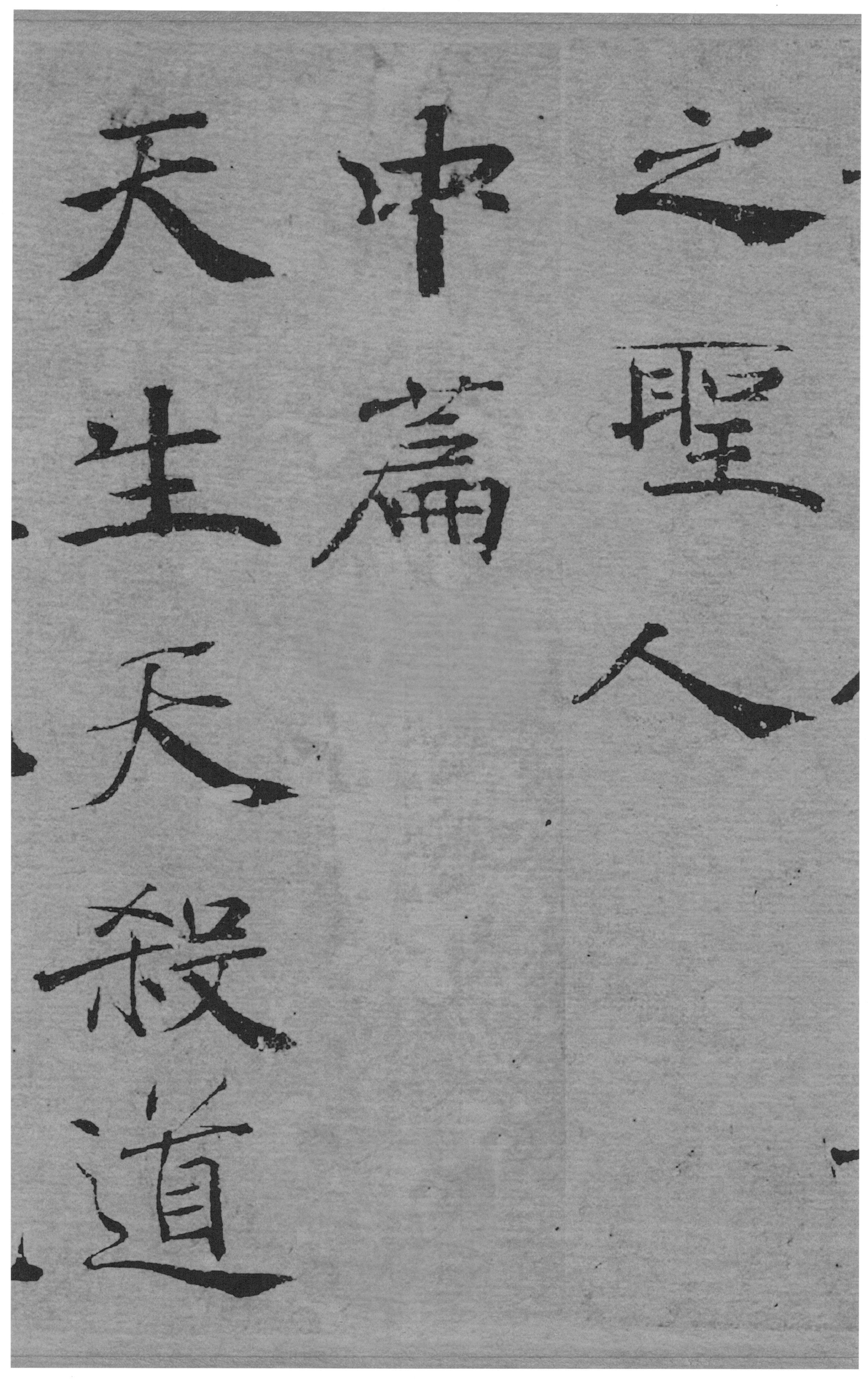

之理也。天地，万物之盗；万物，人之盗；人，

万物之盗。三盗既宜，三才既安。故曰：『食

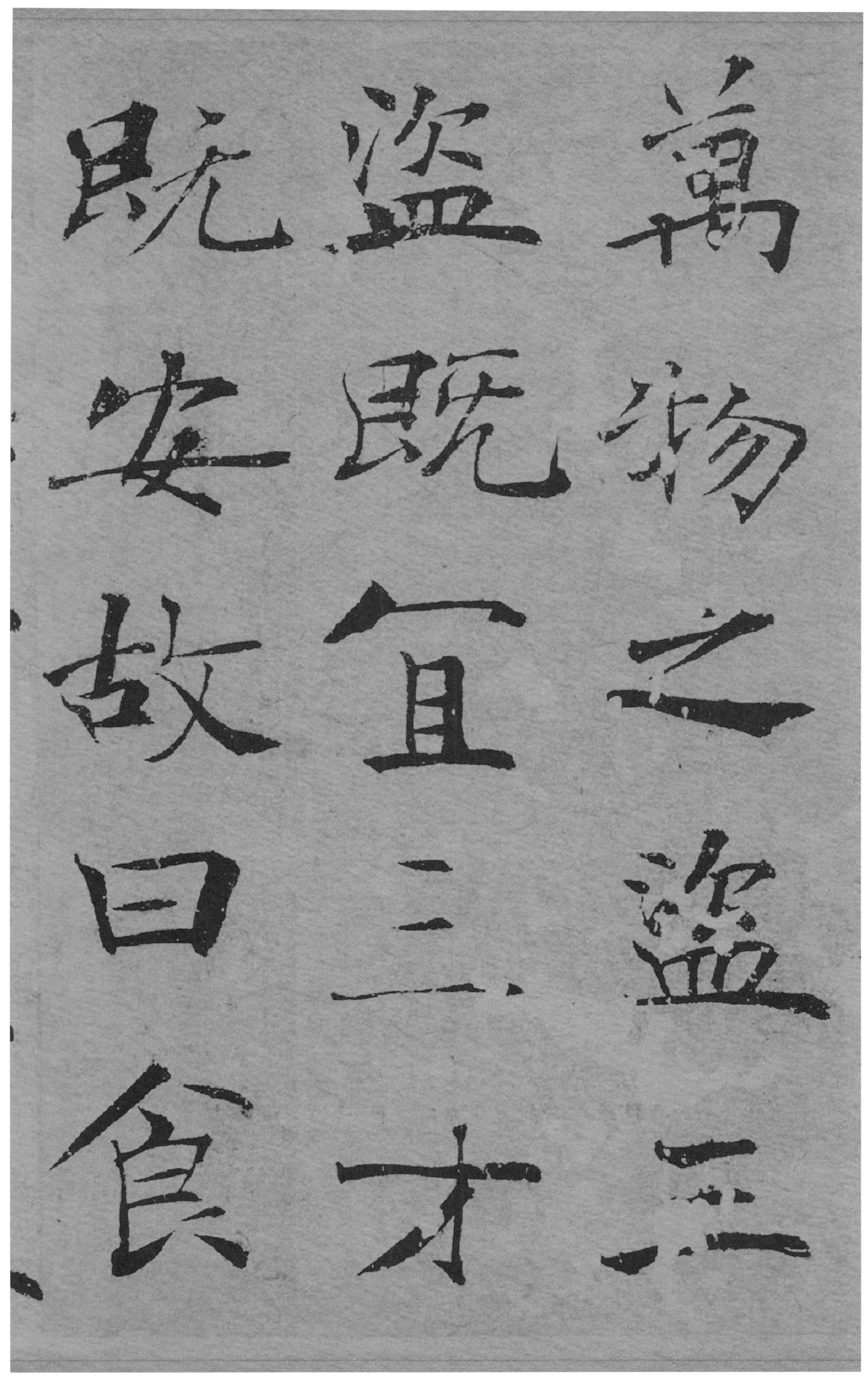

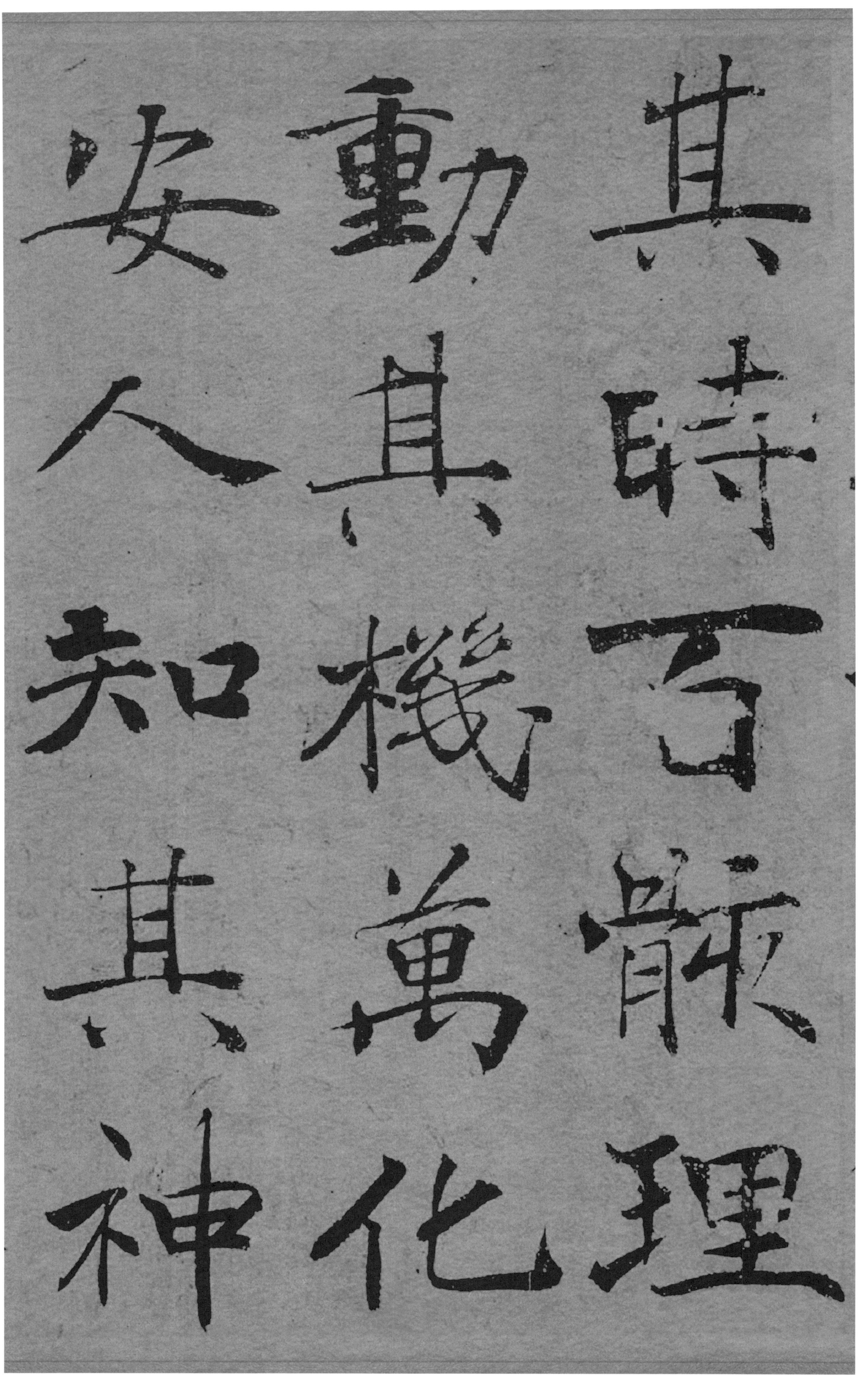

其时，百骸理；动其机，万化安。』人知其神

之神，不知其不神所以神也。日月有数，

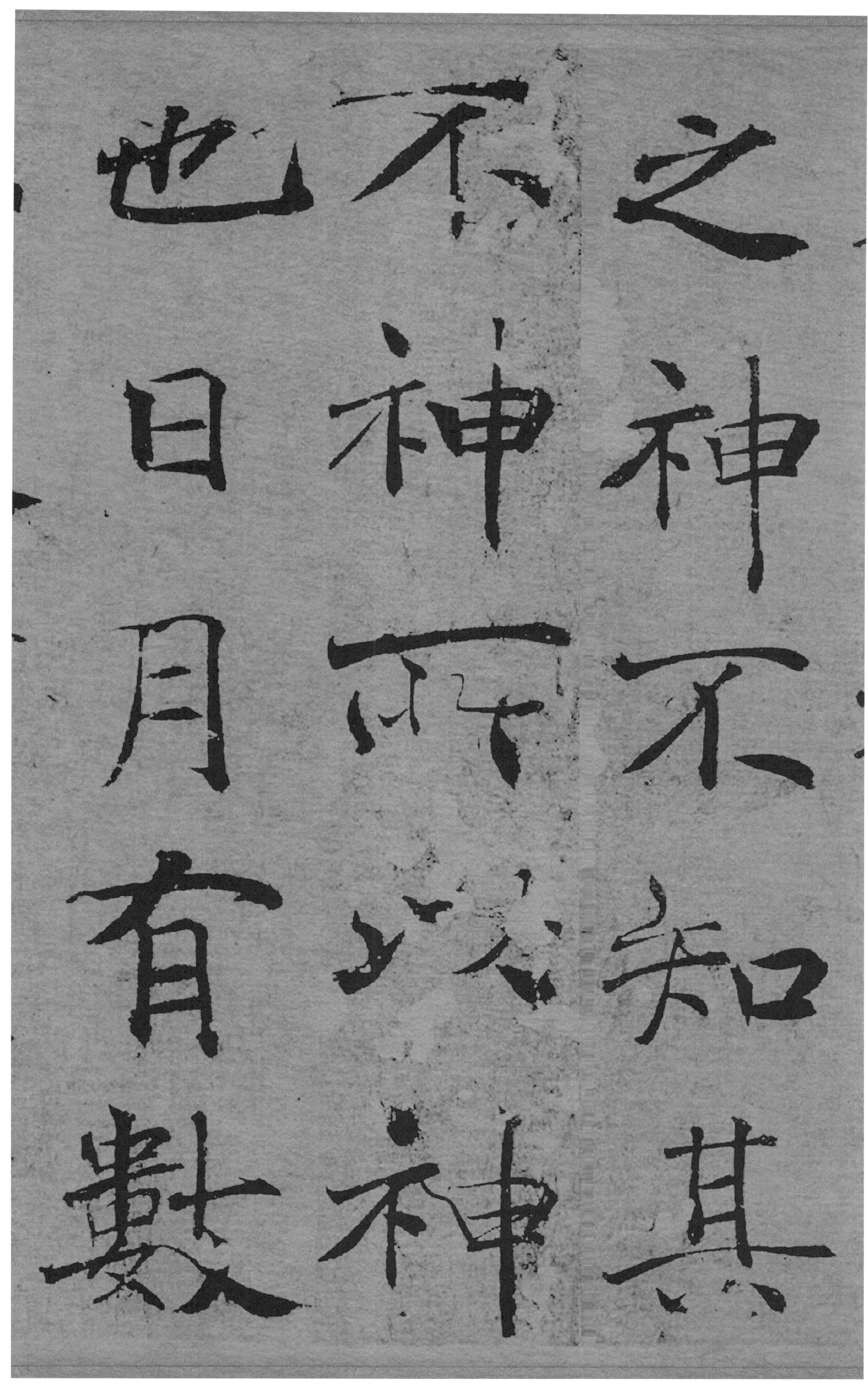

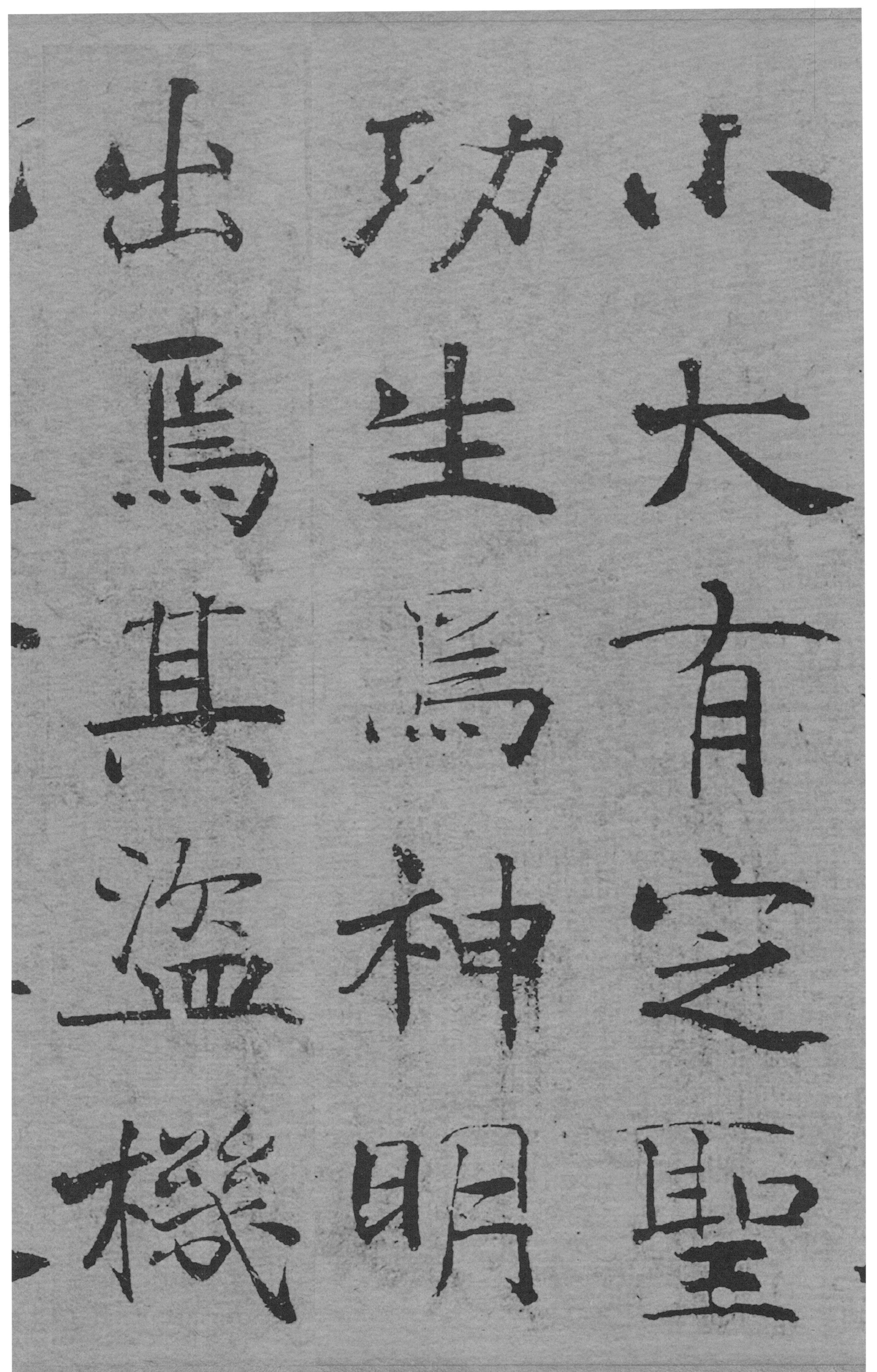

小大有定。圣功生焉，神明出焉。其盗机

也，天下莫能见，莫能知，君子得之固穷，

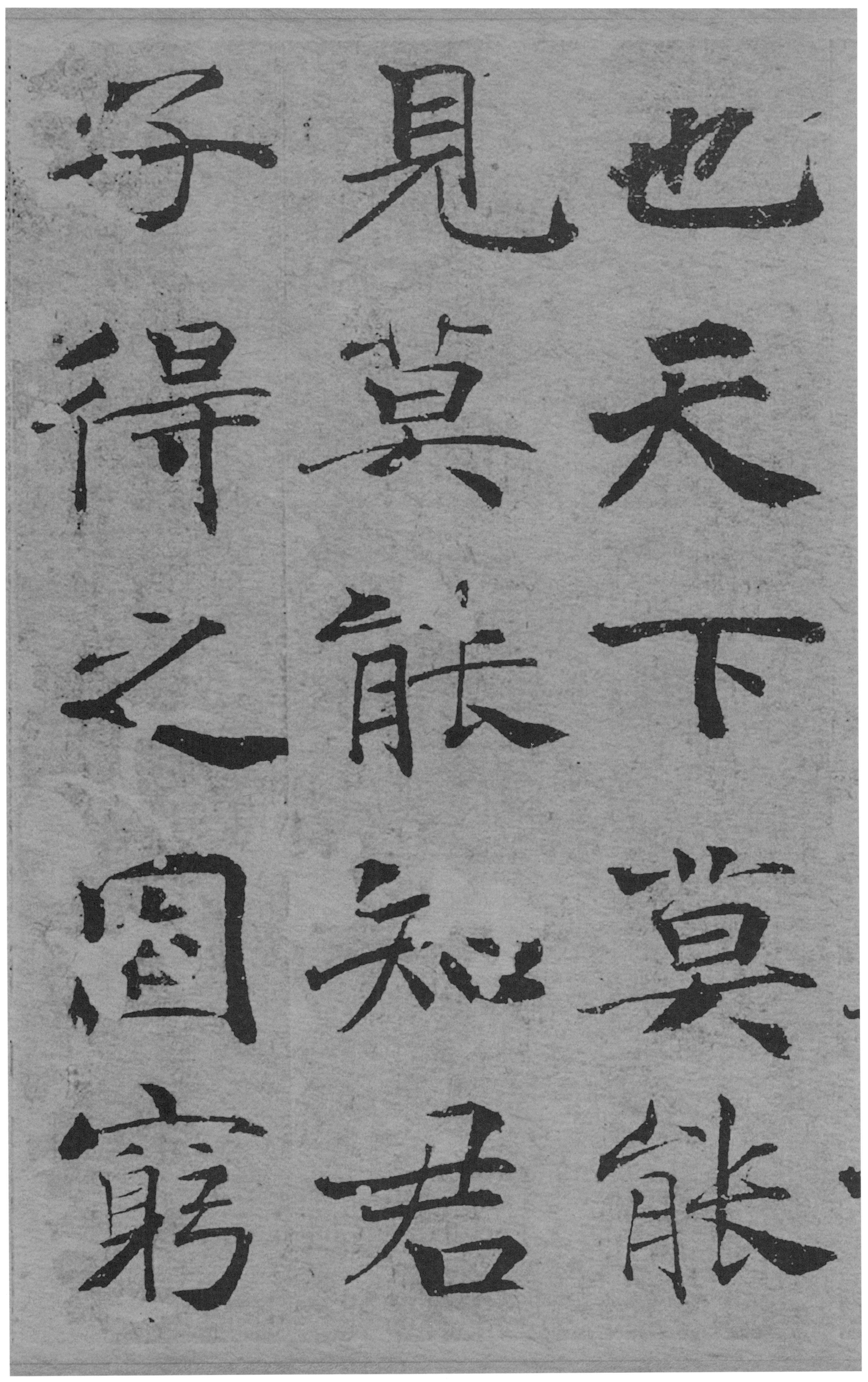

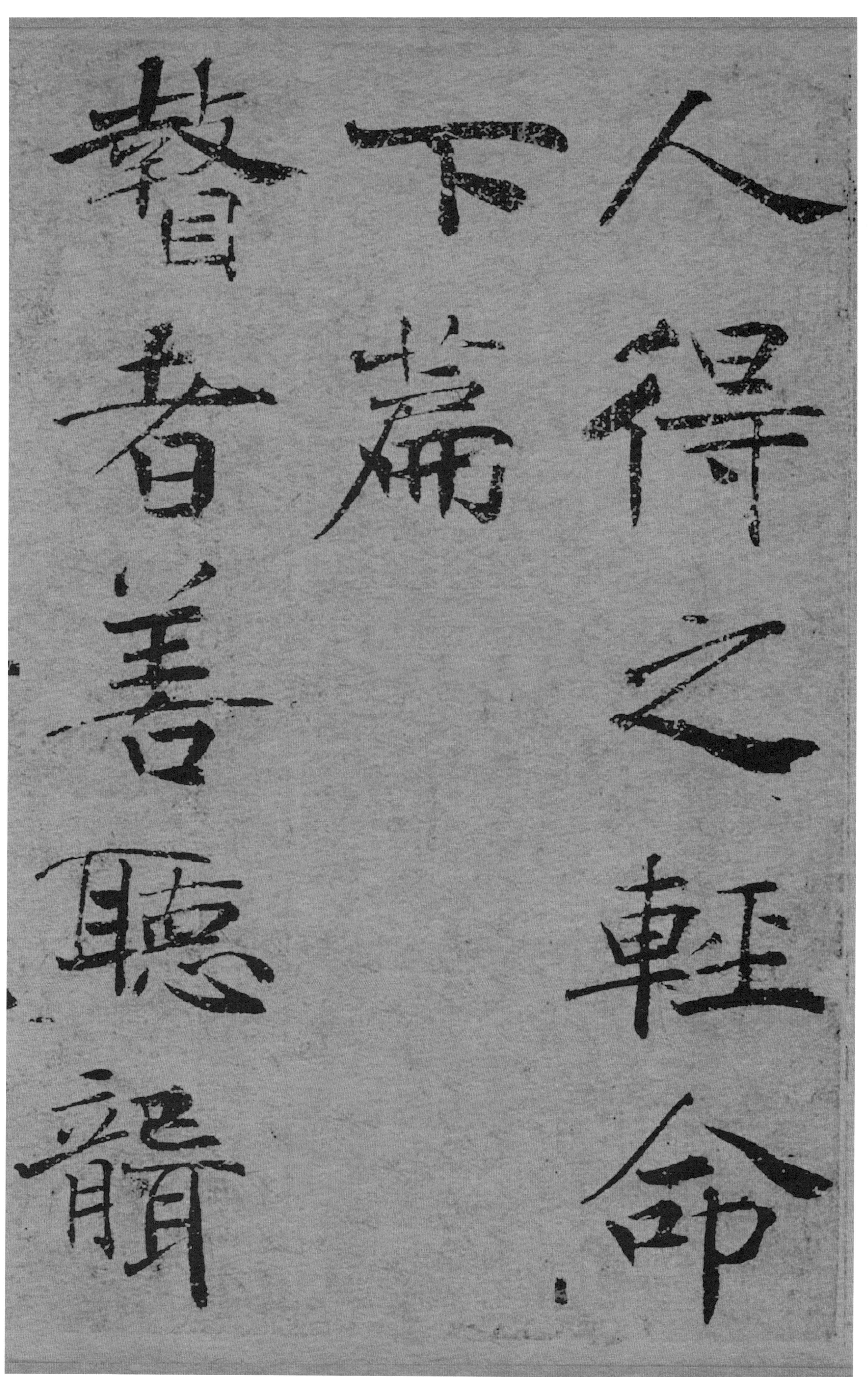

（小）人得之轻命。下篇：瞽者善听，聋

者善视。绝利一源，用师十倍。三返昼夜，

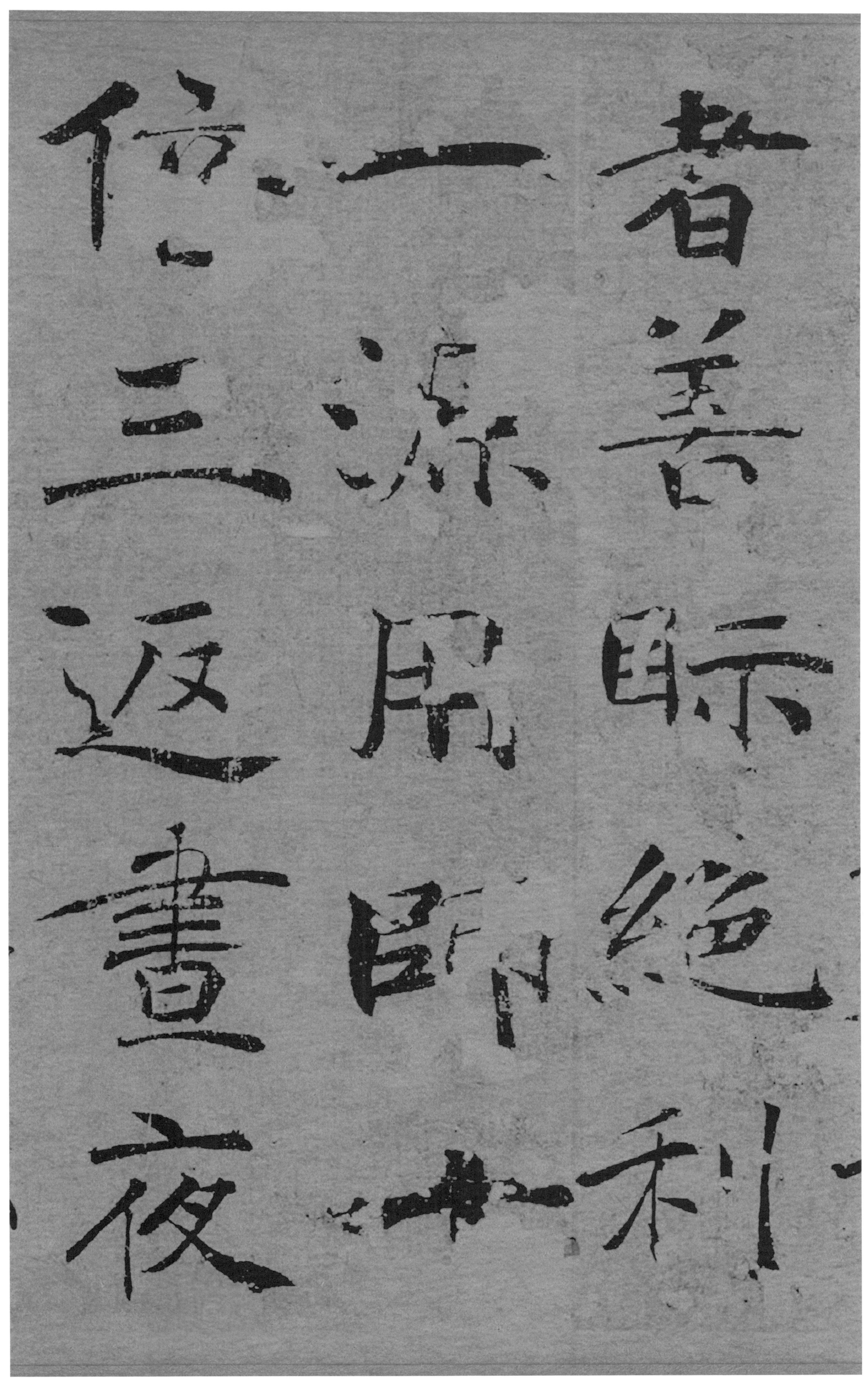

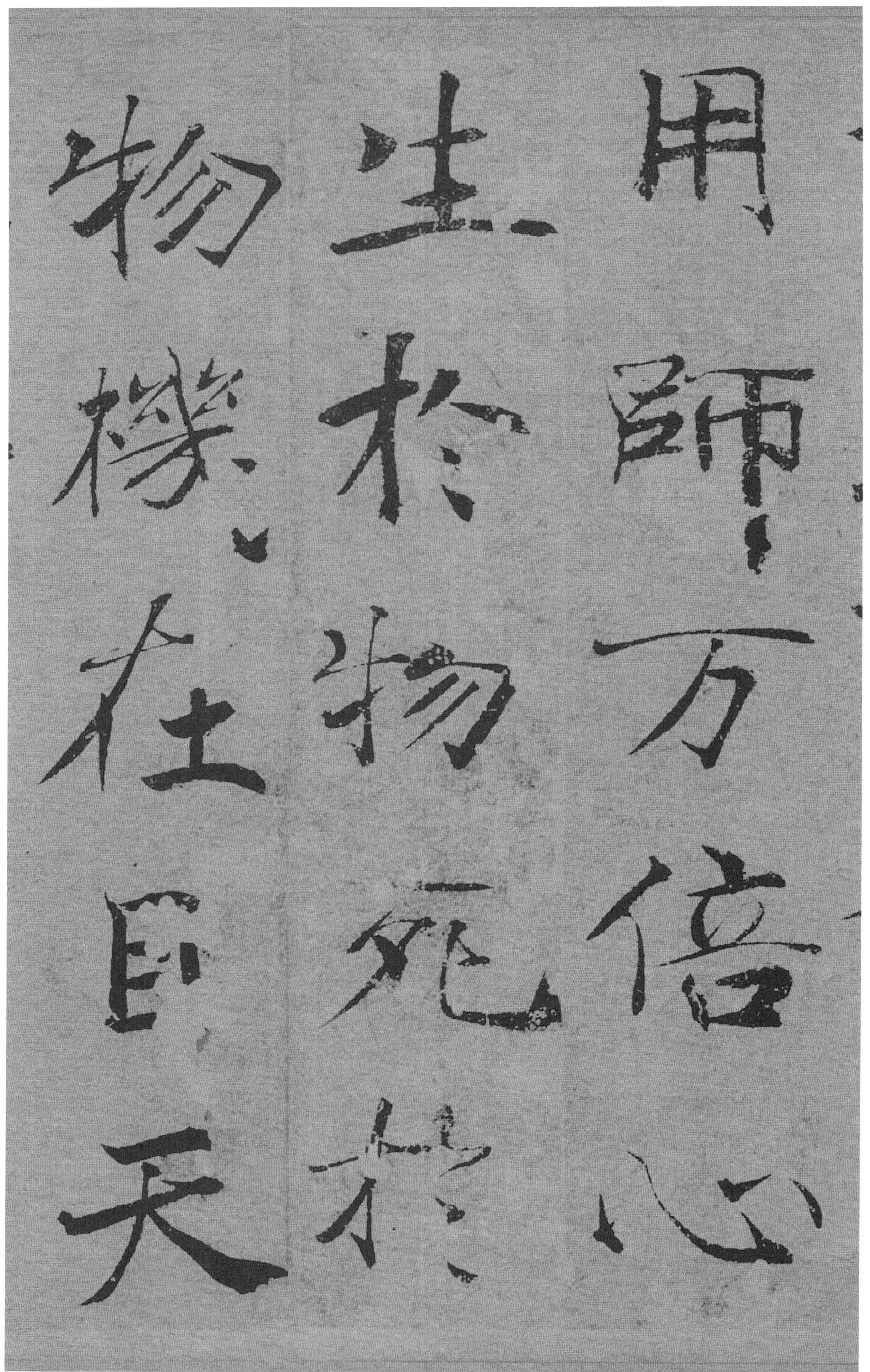

用师万倍。心生于物，死于物，机在目。天

之无恩，而大恩生。迅雷烈风，莫不蠢然。

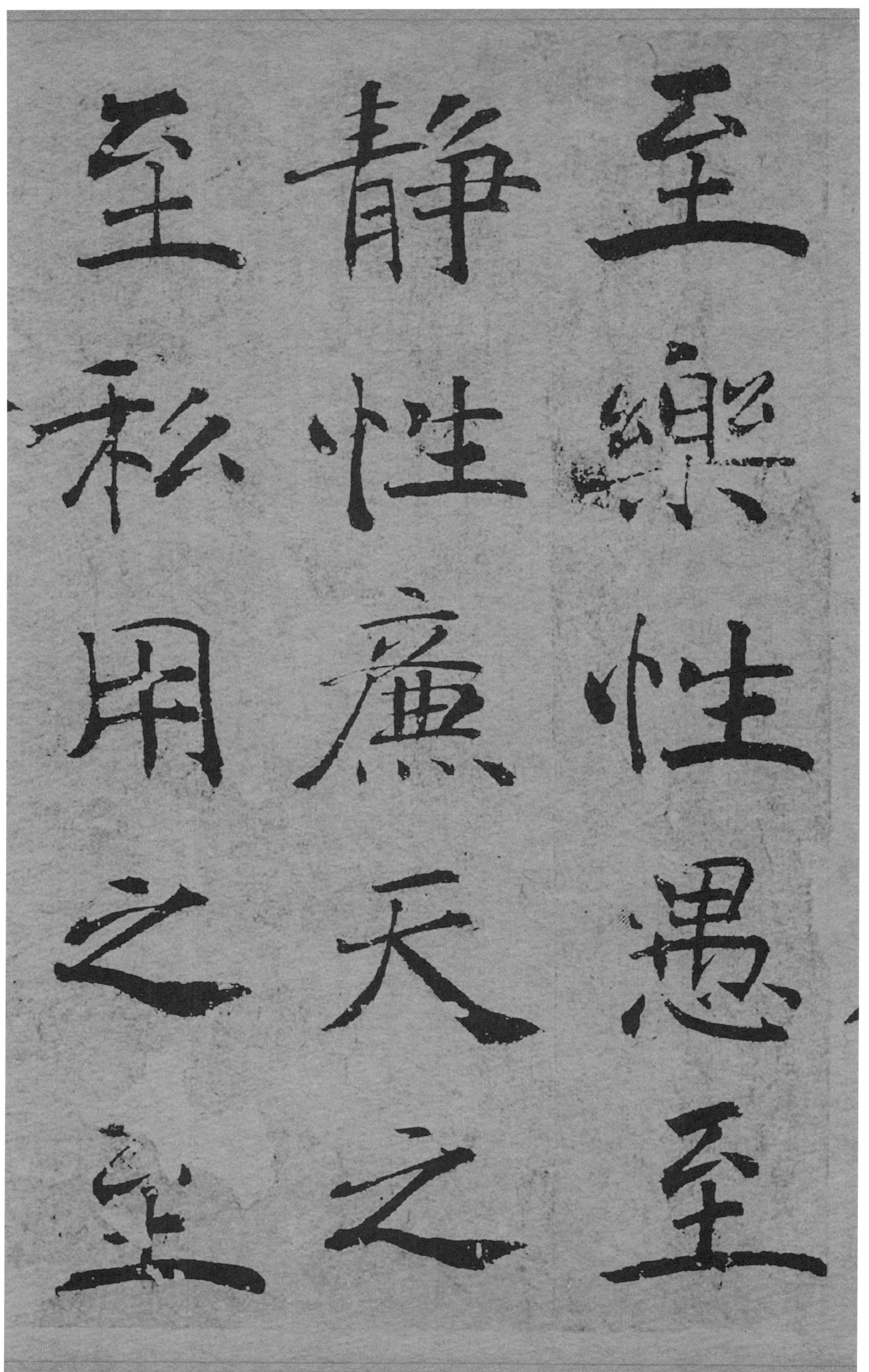

至乐性愚，至静性廉。天之至私，用之至

公，禽之制在气。生者，死之根；死者，生之

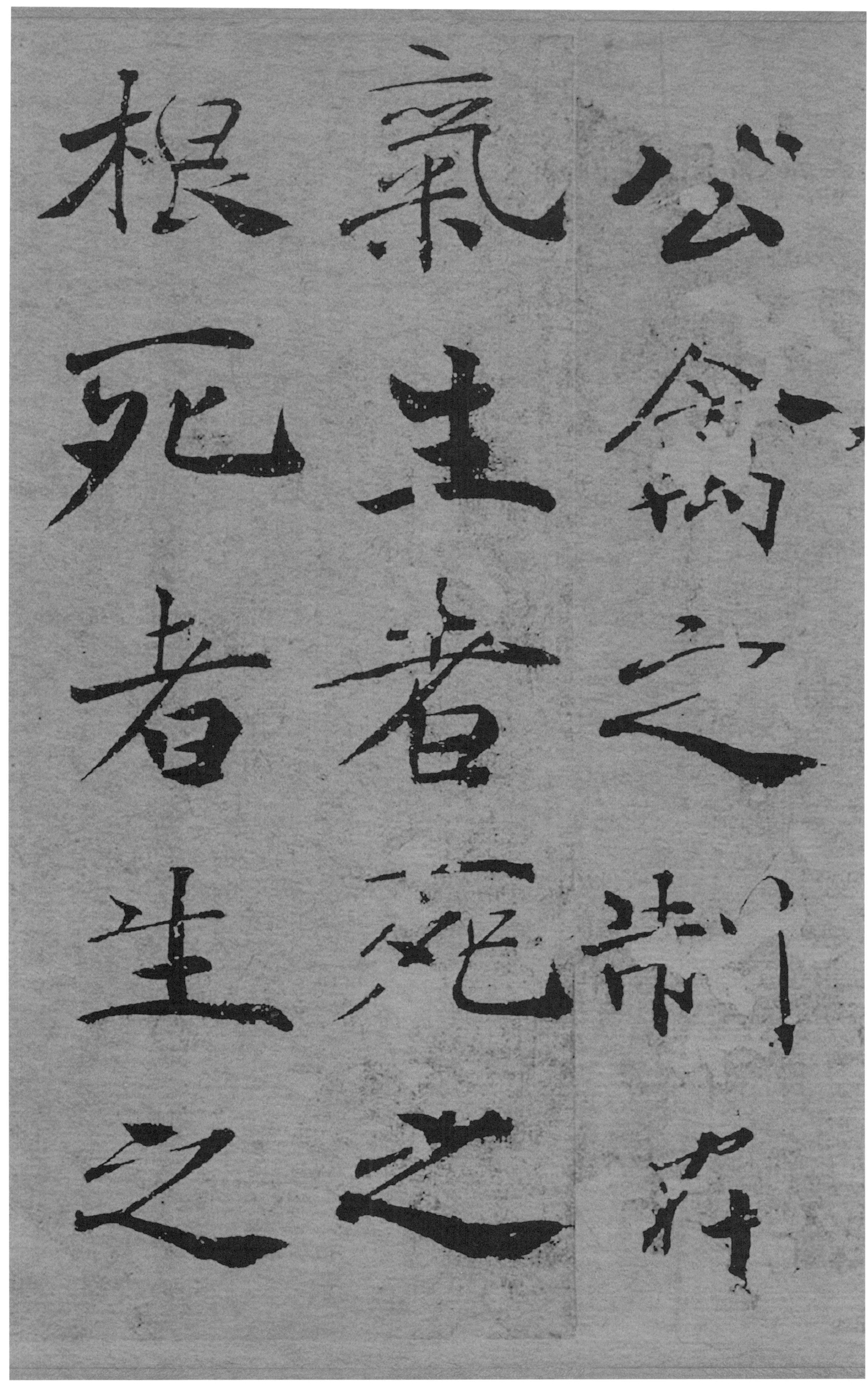

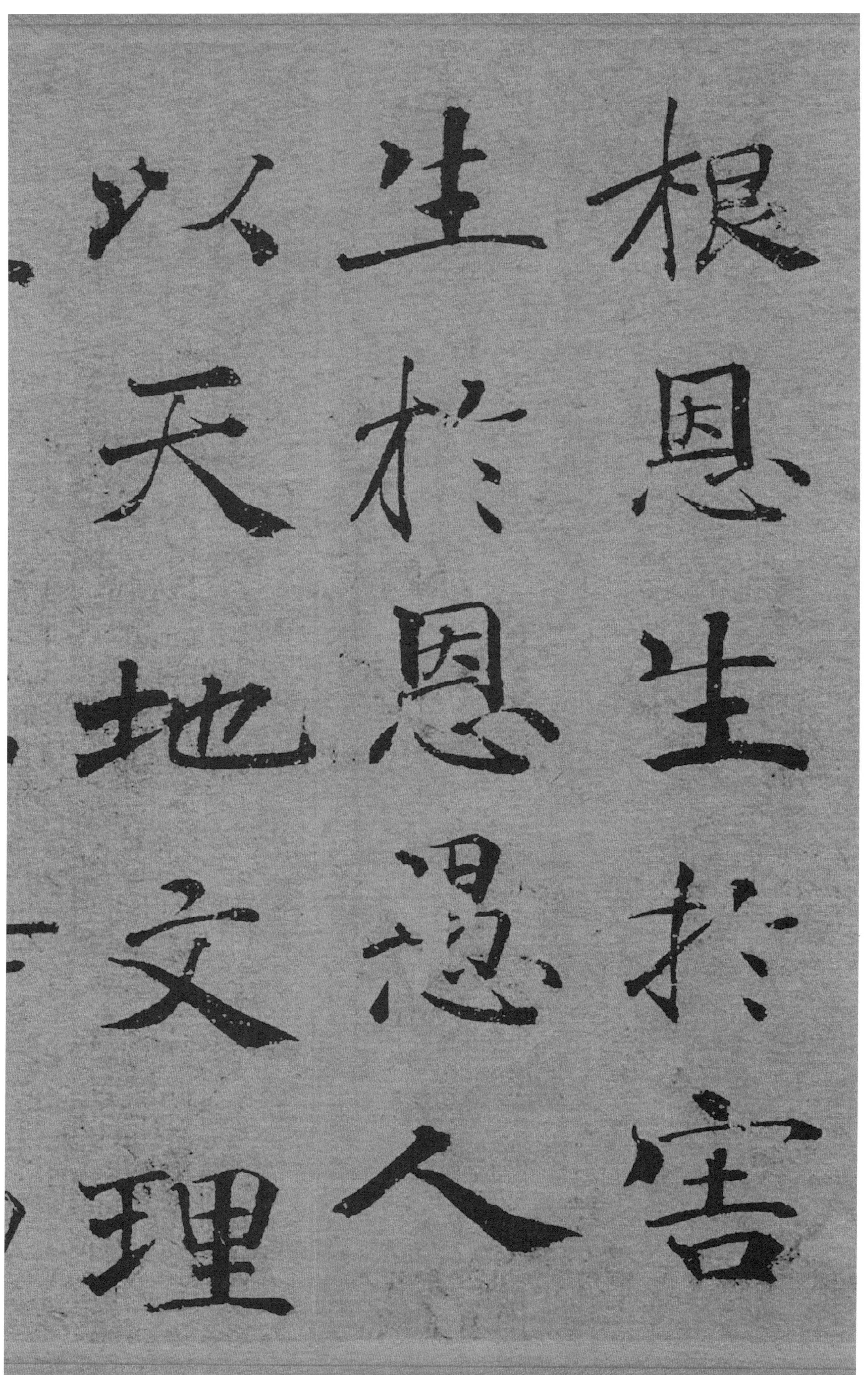

根。恩生于害，（害）生于恩。愚人以天地文理

圣，我以时物文理哲。人以愚虞圣，我以

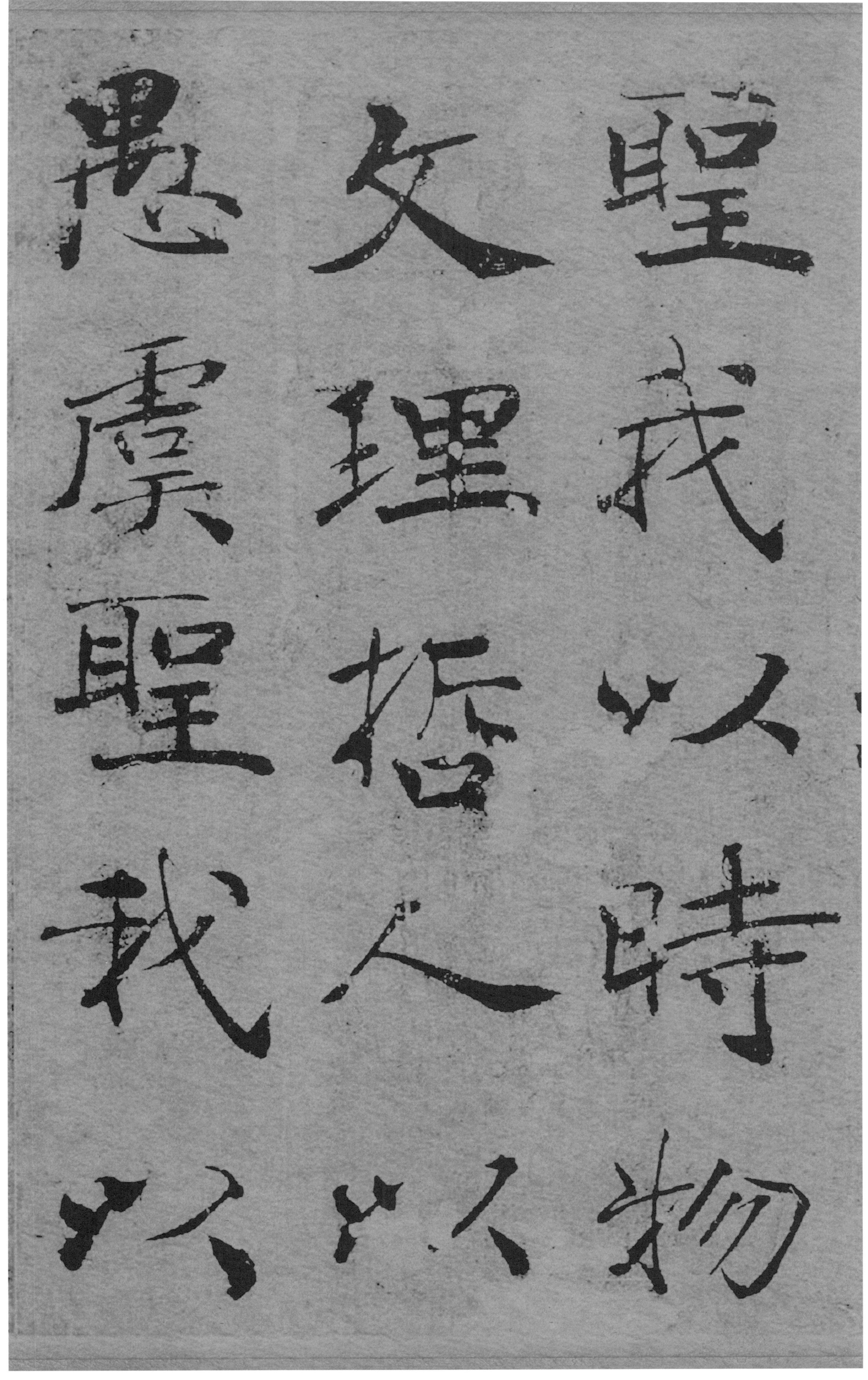

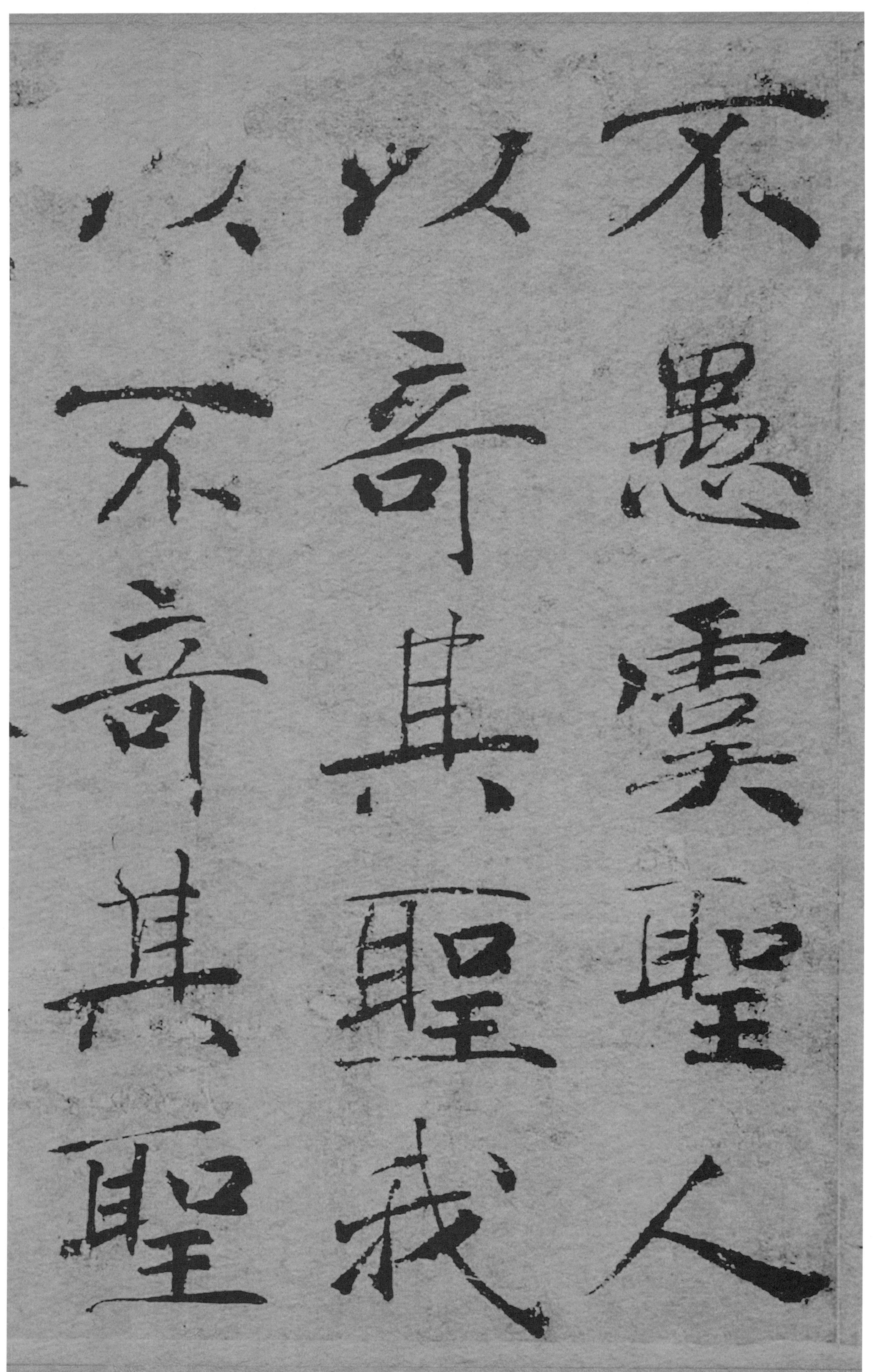

不愚虞圣；人以奇其圣，我以不奇其圣。

沉水入火，自取灭亡。自然之道静，故天

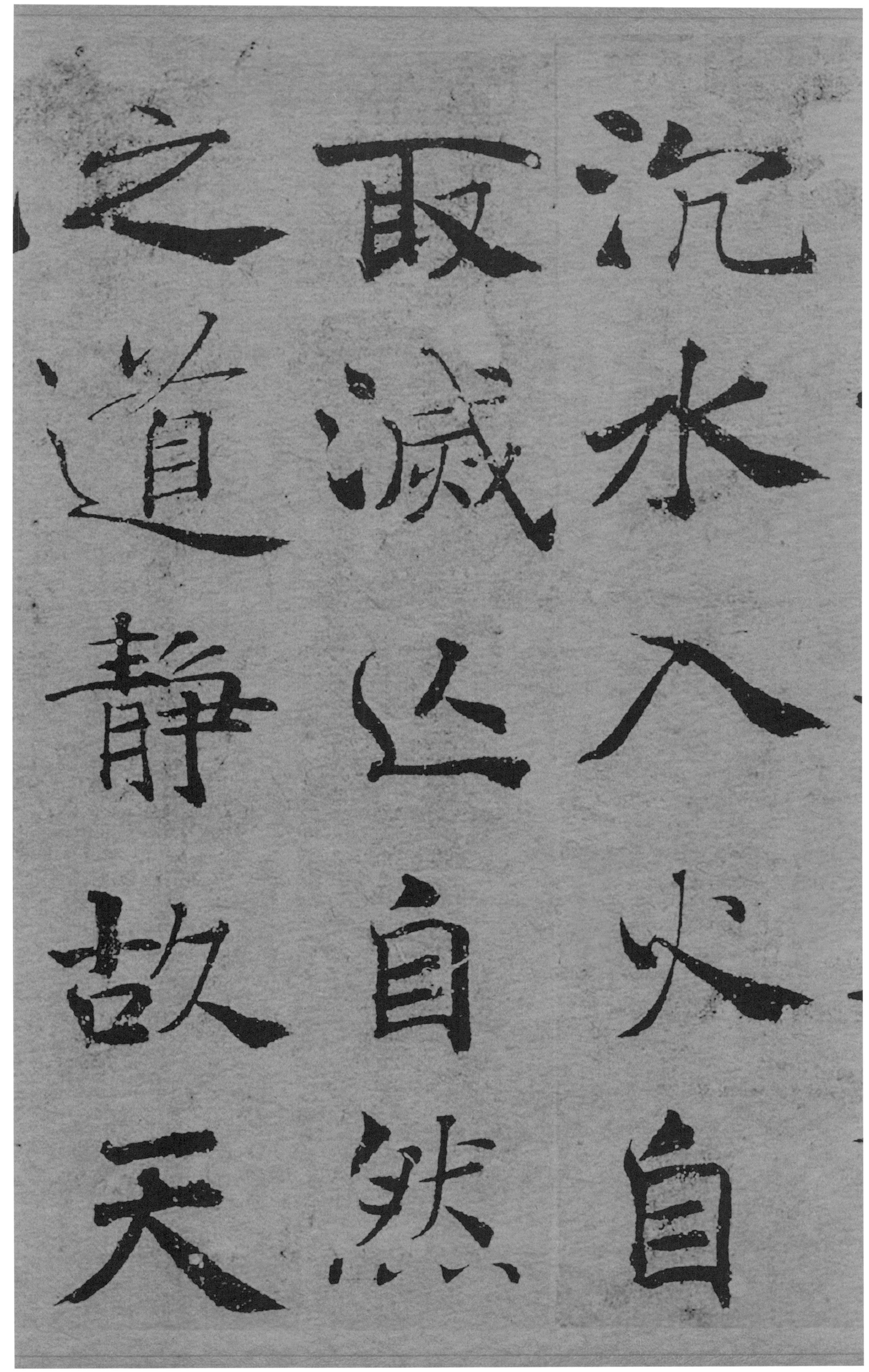

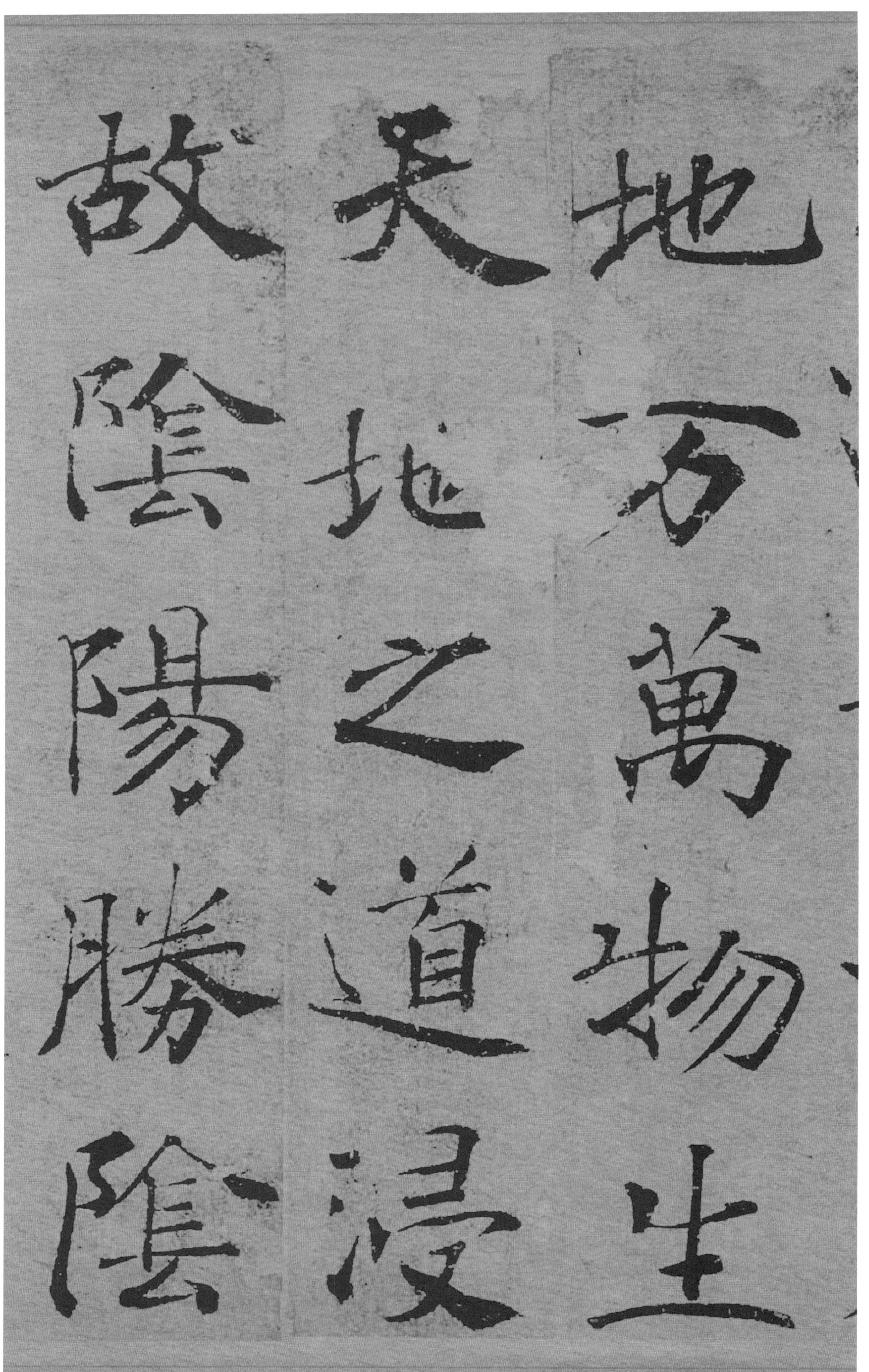

地万（万）物生。天地之道浸，故阴阳胜，阴

阳（相）推而变化顺矣。圣人知自然之道不

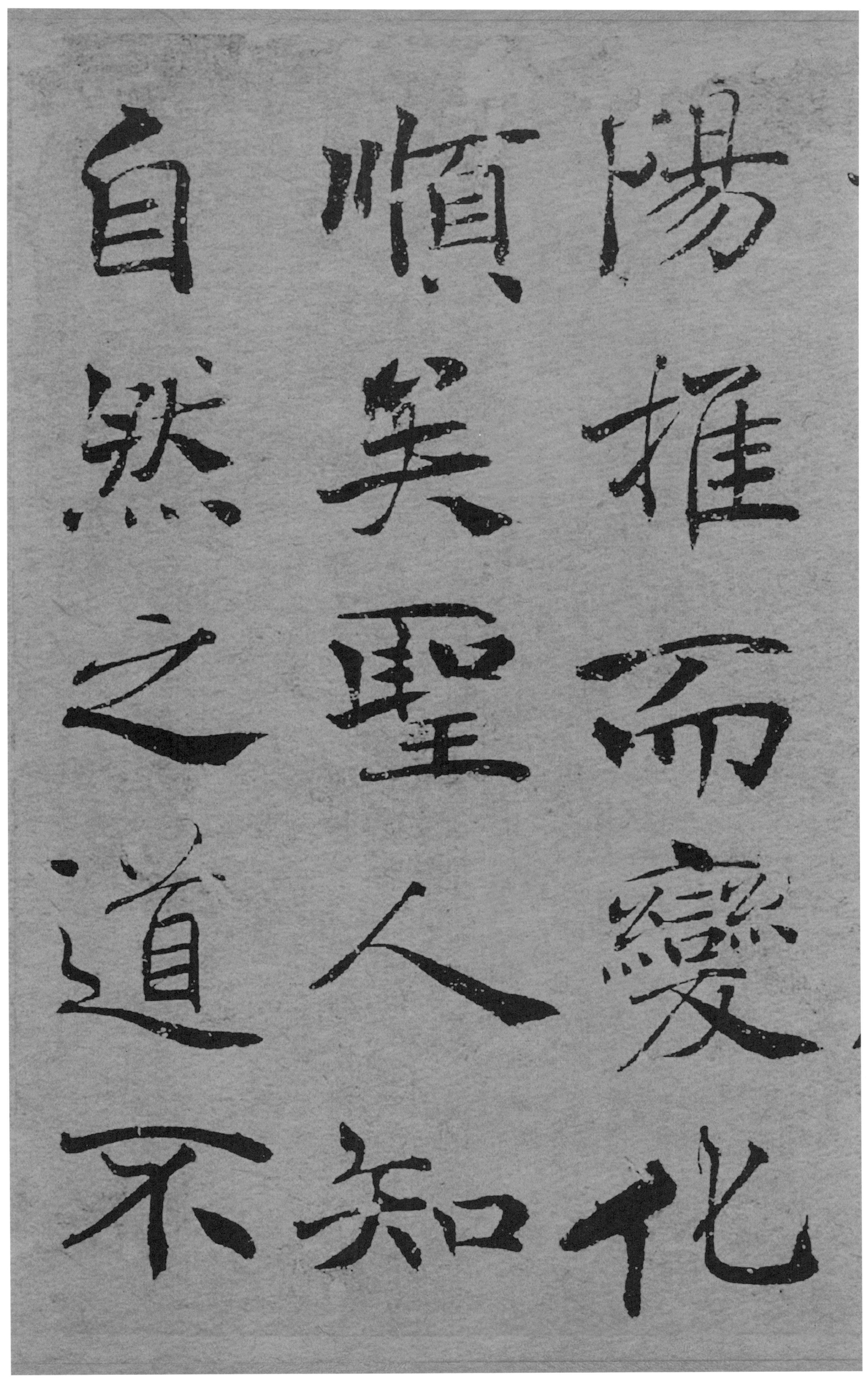

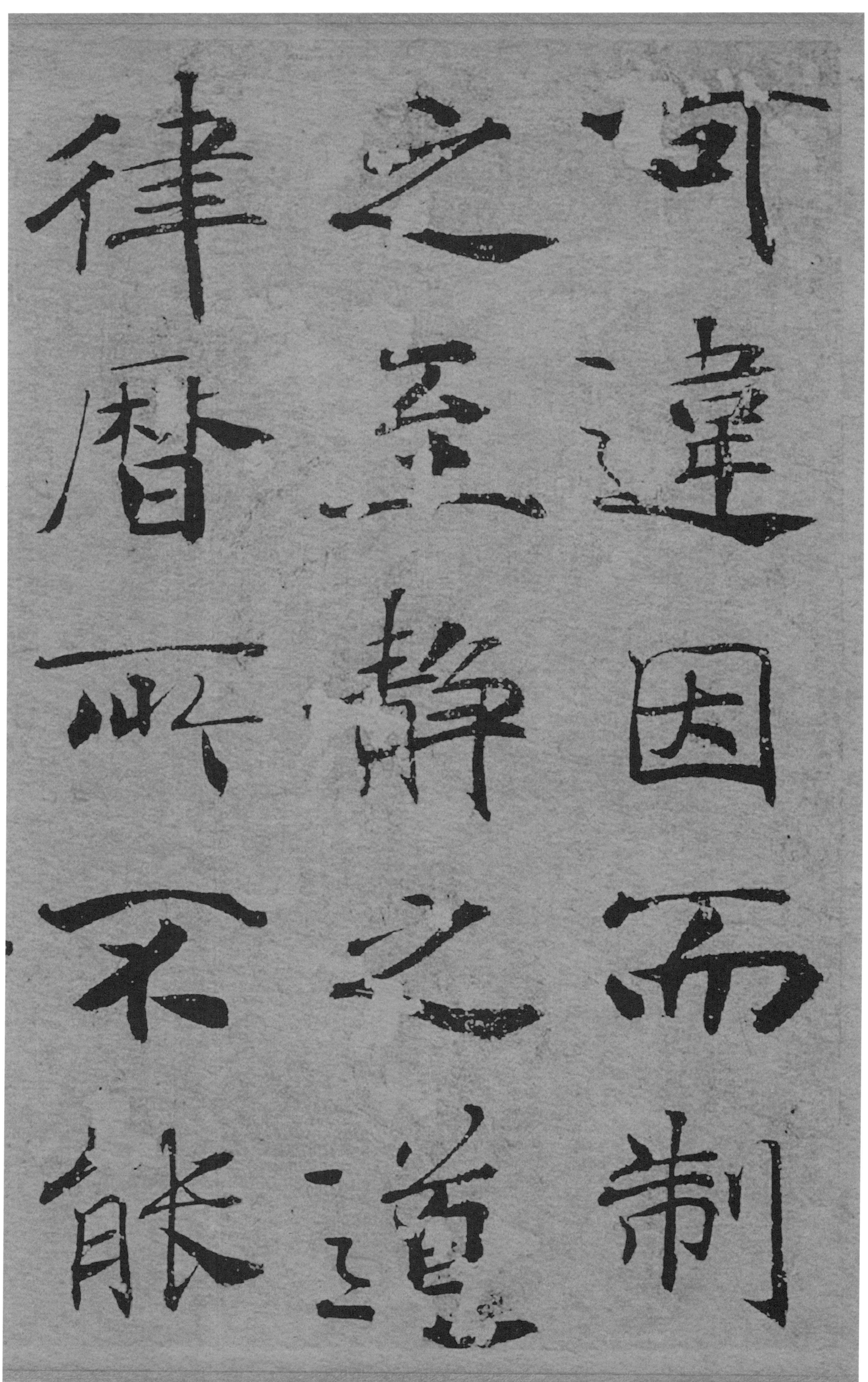

可违，因而制之。至静之道，律历所不能

契。爱有奇器，是生万象，八卦甲子、神机

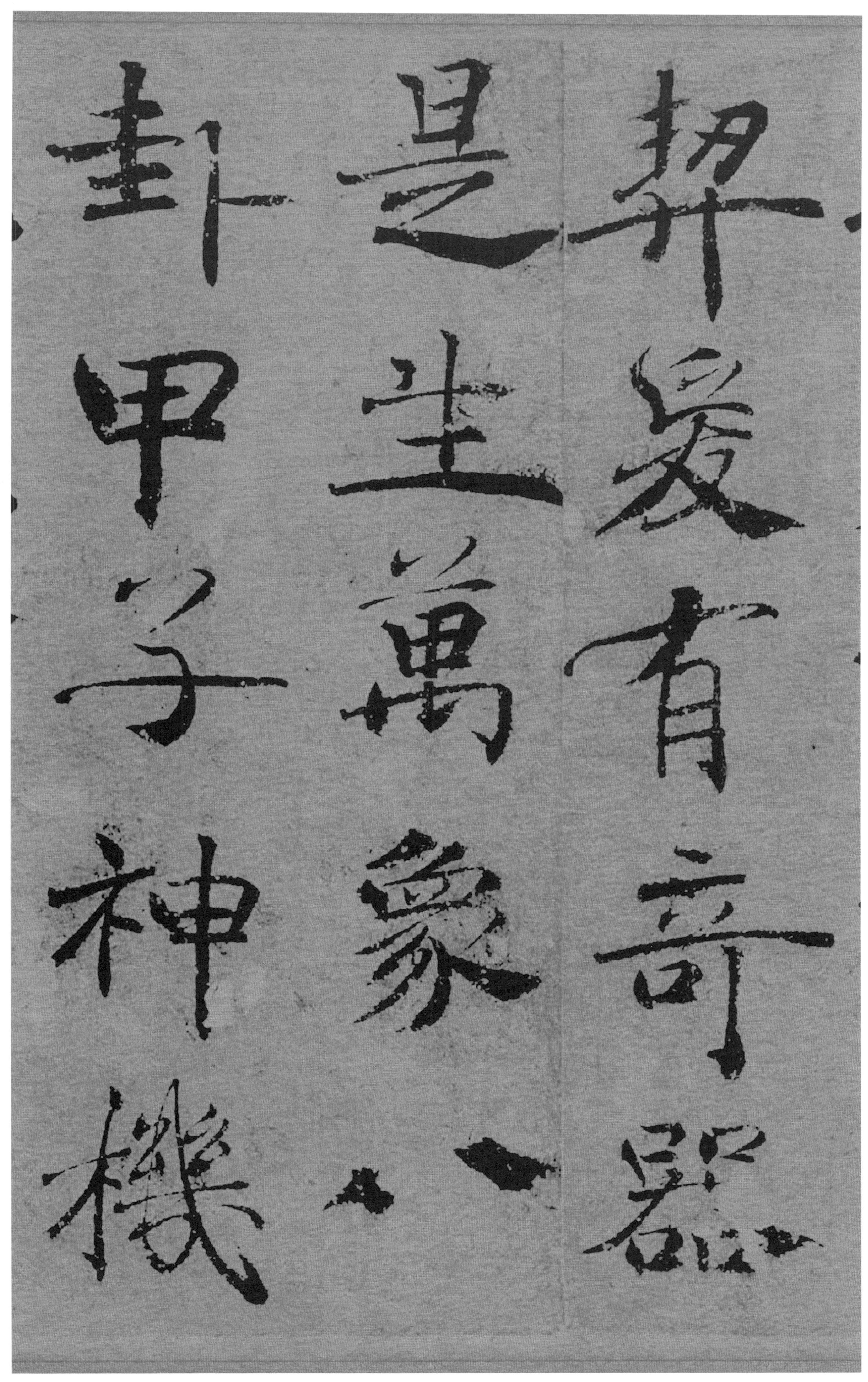

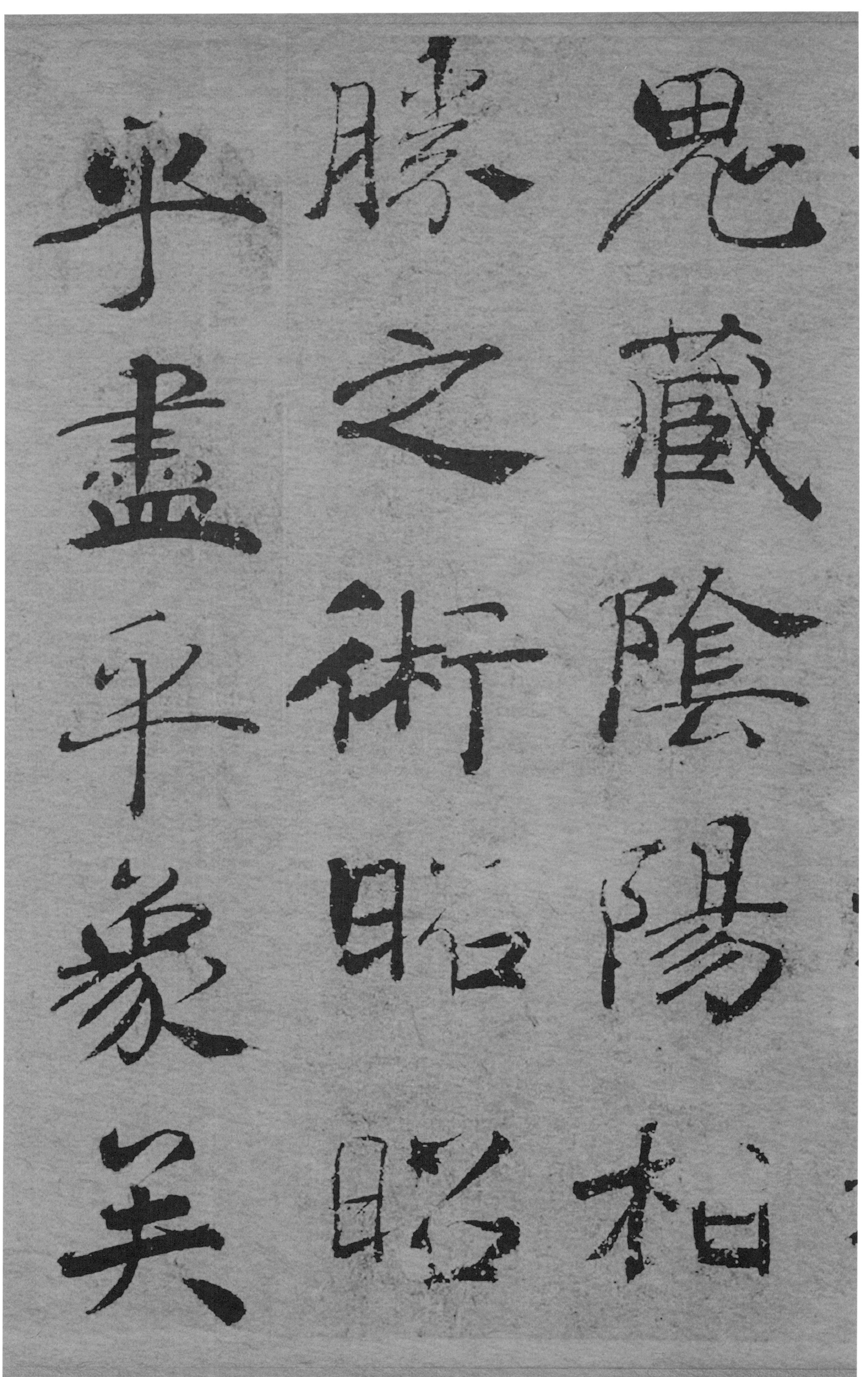

鬼藏、阴阳相胜之术，昭昭乎尽（进）乎象矣。

起居郎臣遂良奉敕书。

起居郎臣遂良奉勅書

陰符經

上篇

觀天之道，執天之行，盡矣。天有五賊，見之者昌。五賊在心，施行於天。宇宙在乎手，萬化生乎身。天性人也，人心機也。立天之道，以定人也。天發殺機，移星易宿；地發殺機，龍虵起陸；人發殺機，天地反覆；天人合發，萬化定基。性有巧拙，可以伏藏。九竅之邪，在乎三要，可以動靜。火生於木，禍發必尅；姦生於國，時動必潰。知之脩之，謂之聖人。

中篇

天生天殺，道之理也。天地，萬物之盜；萬物，人之盜；人，萬物之盜。三盜既宜，三才既安。故曰：食其時，百骸理；動其機，萬化安。人知其神之神，不知其不神所以神也。日月有數，小大有定，聖功生焉，神明出焉。其盜機也，天下莫能見，莫能知。君子得之固窮，人得之輕命。

下篇

瞽者善聽，聾者善晞。絕利一源，用師十倍；三返晝夜，用師万倍。心生於物，死於物，機在目。天之無恩而大恩生。迅雷烈風，莫不蠢然。至樂性愚，至靜性廉。天之至私，用之至公。禽之制在氣。生者死之根，死者生之根。恩生於害，害生於恩。愚人以天地文理聖，我以時物文理哲。人以愚虞聖，我以不愚虞聖；人以奇其聖，我以不奇其聖。沈水入火，自取滅亾。自然之道靜，故天地万萬物生。天地之道浸，故陰陽勝。陰陽推而變化順矣。聖人知自然之道不可違，因而制之。至靜之道，律曆所不能契。爰有奇器，是生萬象。八卦甲子，神機鬼藏。陰陽相勝之術，昭昭乎盡乎象矣。

起居郎臣褚遂良奉勑書